# Les animaux de Lou

## Tu n'es plus seul, Petit Ours !

## *Des romans à lire à deux,*
## pour les premiers pas en lecture !

**La collection Premières Lectures accompagne les enfants qui apprennent à lire. Chaque roman peut être lu à deux voix : l'enfant lit les bulles et un lecteur confirmé lit le reste de l'histoire.**

**Cette collection a trois niveaux :**

**JE DÉCHIFFRE** les bulles peuvent être lues par l'enfant qui débute en lecture.

**JE COMMENCE À LIRE** les bulles peuvent être lues par l'enfant qui sait lire les mots simples.

**JE LIS COMME UN GRAND** les bulles peuvent être lues par l'enfant qui sait lire tous les mots.

Quand l'enfant sait lire seul, il peut lire les romans en entier, comme un grand !

Un concept original + des histoires simples + des sujets qui passionnent les enfants + des illustrations :
**des romans parfaits pour débuter en lecture avec plaisir !**

**Cette histoire a été testée par Francine Euli, enseignante, et des enfants de CP.**

L'orthographe rectifiée, qui fait désormais référence dans les programmes scolaires, est appliquée dans cet ouvrage.


Loi n° 49-956 du 16 juillet 1949 sur les publications destinées à la jeunesse,
modifiée par la loi n° 2011-525 du 17 mai 2011.
ISBN : 978-2-09-253641-4

JE DÉCHIFFRE JE COMMENCE À LIRE JE LIS COMME UN GRAND

# Tu n'es plus seul, Petit Ours !

Texte de Mymi Doinet
Illustré par Mélanie Allag

Depuis des semaines, Lou correspond avec Nanouk, un jeune Esquimau.
Bonne nouvelle : il l'invite au pôle Nord.
Lou va découvrir la banquise !

Dès son arrivée, Lou est reçue
par Nanouk, son papy et Alaska,
un chien de traineau.

Pendant que son grand-père brosse Alaska, Nanouk fait monter Lou sur son kayak. Soudain, un bloc de glace flotte vers le bateau. Lou s'écrie :

Heureusement, Lou a un super-pouvoir : elle comprend le langage des animaux ! L'ourson pleure.

Vite, il faut retrouver la mère ourse !
Lou hisse l'ourson sur le kayak,
et elle chuchote à son oreille douce
comme du coton.

Tout à coup, les vagues se soulèvent
et une bosse haute comme
une montagne sort des flots…

Nanouk ouvre de grands yeux.

Lou parle aussitôt avec la géante des océans. Quelle chance, la baleine sait où vit la maman ourse !

Flip, flap ! Nanouk agite sa rame
pour voguer aussi vite que la baleine.
Tout éclaboussé, il rit.

Dix minutes après, stop ! La baleine s'arrête devant la mer qui a complètement gelé. L'ourson saute du kayak.

Sa maman ourse ne doit plus être loin...

Mais un vent glacial se met à souffler
et des flocons volent par milliers.
Lou ne voit plus rien du tout
dans la tempête de neige.

Pas de réponse !

Lou grelote et sanglote.

Soudain, flop ! Lou glisse devant une tanière creusée dans la neige. Et elle se retrouve nez contre museau avec un ourson. Oh, ce n’est pas Petit Ours, c’est Petit Flocon, son frère jumeau !

Lou chuchote à son oreille douce
comme de la laine.

Sais-tu où est
ta maman ?

Petit Flocon tire Lou par sa doudoune pour vite la faire venir dans la tanière. La maman ourse est là. Mais la pauvre ne peut plus bouger : un bloc de glace est tombé sur sa patte !

Nanouk !

Du fond de la tanière, Lou appelle au secours. Hélas! Seul l'écho répond.

Nanouk-nouk-nouk !

Nanouk est trop loin pour entendre Lou !
Tout à coup, plus de neige, le soleil brille. Nanouk aperçoit alors Petit Ours qui se faufile.

Reviens, ourson polisson !

Petit Ours fait la sourde oreille : il a découvert des traces de bottes, signe que Lou est passée par là ! L'ourson suit les empreintes jusqu'à la tanière, et Nanouk court derrière.

Grâce à Petit Ours, Nanouk a enfin retrouvé Lou ! Elle lui fait des grands signes à l'entrée de la tanière.

Prête-moi vite ton écharpe !

Lou attache l'écharpe de Nanouk
à la sienne autour du bloc de glace
pour délivrer la mère ourse.
Oh hisse! ils tirent sur l'énorme glaçon.
Mais impossible de le déplacer!

Petit Ours appelle son frère
et grogne tout fier :

Avec Petit Flocon, il pousse
le bloc de glace.

Et bang ! Le glaçon géant roule comme une grosse toupie. La mère ourse peut bouger.

C’est maintenant l’heure de la tétée. Petit Flocon se régale de lait. Mais pas Petit Ours : il préfère pêcher !

Dressé sur ses pattes arrière, gloups!
il vient d'attraper son premier poisson.
Clic, clac! Lou le prend en photo.

Il est tard. Les oursons dorment près de leur maman couette. Lou bâille et Nanouk a sommeil aussi.

Heureusement, son grand-père arrive avec son taxi des neiges, mené par Alaska et ses copains.

# Lou te dit tout sur l'ours polaire

## Au pôle Nord, il n'y a que deux saisons

L'hiver dure 6 mois, il fait nuit à midi, et la température descend à −40 degrés. La mer gèle, on peut marcher dessus : c'est la banquise. L'été dure les 6 autres mois.

## La banquise fond

Avec le réchauffement du climat, les blocs de glace se brisent. Les ours dérivent parfois dessus, comme Petit Ours.

## Un menu pas du tout varié

Sur la banquise, il y a peu de choses à manger. Les ours blancs se nourrissent de poissons et de phoques.

## Une tanière à l'abri du vent glacé

La mère ourse creuse sa tanière dans la neige pour y passer l'hiver et donner naissance à ses petits. Les oursons feront leur première sortie au mois de mars.

## Petit ours deviendra grand

À la naissance, l'ourson blanc a le poids d'un demi-paquet de farine. Adulte, la femelle peut peser 300 kilos, et le mâle plus de 500 kilos.

## Bien équipé pour le gel

Le pelage de l'ours blanc est chaud comme une doudoune. Quant à ses larges pattes, elles lui servent de raquettes pour marcher sur la neige et ses griffes lui évitent de glisser sur la glace.

*Bravo !* Tu as lu un livre en entier !
Tu as aimé cette histoire ?

**Retrouve Lou dans d'autres aventures !**

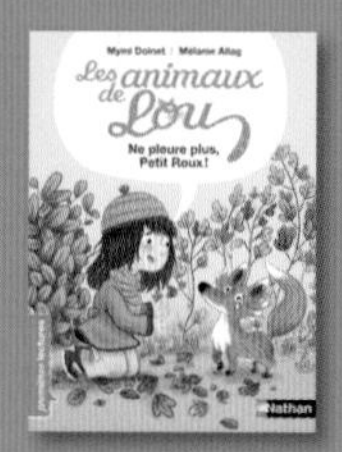

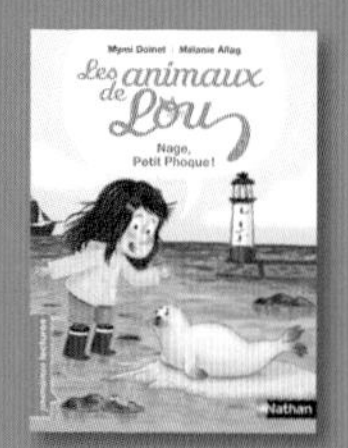

*premières* lectures

N° éditeur : 10243226 – Dépôt légal : janvier 2012
Achevé d'imprimer en février 2018 par Pollina
(85400 Luçon, Vendée, France) - 83666